D0773775

LES MONSIEUR MADAME

MADAME

MA SŒUR

Pour ....

De la part de ....

LES **MONSIEUR MADAME**

MA SŒUR

Roger Hargreaves

hachette
JEUNESSE

Ma sœur est toujours
enjouée et prête à s'amuser.

Dès qu'elle se réveille, elle est impatiente de commencer sa journée.

Ma sœur adore jouer, sauter et rebondir partout.

Ce qui crée parfois des accidents !

Ma sœur peut être un peu espiègle.

Mais elle est aussi très intelligente.

Et d'autres fois, nous sommes complètement différentes.

Ma sœur met beaucoup de bazar.

On lui
demande
souvent
de ranger
sa chambre.

Ma sœur est très courageuse.
Elle vient toujours m'aider
quand j'ai des problèmes.

Mais elle peut aussi avoir peur
et se cacher derrière le fauteuil.

Ma sœur a un grand sourire chaleureux.

Et elle raconte plein de blagues rigolotes.

Ma sœur adore me jouer des tours.

Mais on se réconcilie toujours
avec un gros câlin.

Ma sœur a beaucoup d'amis.

Et elle adore faire la fête !

Ma sœur est
une très bonne
danseuse.

Elle pourrait être très célèbre un jour.

Ma sœur peut être très mature.

Et elle connaît les réponses à presque toutes mes questions.

Parfois, elle se laisse un peu emporter par son imagination.

Ma sœur est ma complice.

C'est la meilleure sœur du monde.

MA SŒUR

Ma sœur ressemble beaucoup à madame ....

J'adore quand elle m'aide à ....

....

Ma sœur et moi aimons ....

....

Ma sœur est douée pour ....

....

Si elle était célèbre, elle serait ....

....

Ma sœur aime lire ....

Le dernier tour que ma sœur m'a joué était ....

....

Ma sœur est la meilleure car ....

....

Voici un dessin
de ma sœur :

par ....

âgé de ....

LES **MONSIEUR MADAME**

MON FRÈRE

Roger Hargreaves

ROGER HARGREAVES

MONSIEUR MADAME

hachette
JEUNESSE

Retrouve tes héros préférés dans d'autres aventures :

Une journée avec les Monsieur Madame

Les Monsieur Madame à travers les âges

RÉUNIS VITE LA COLLECTION ENTIÈRE

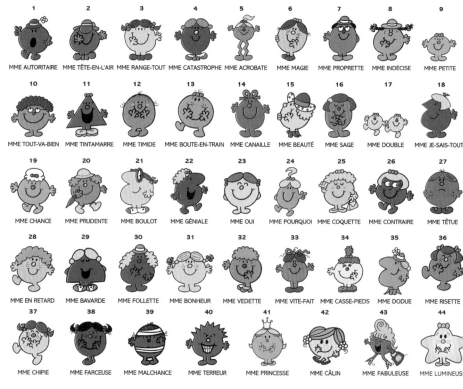

1 MME AUTORITAIRE
2 MME TÊTE-EN-L'AIR
3 MME RANGE-TOUT
4 MME CATASTROPHE
5 MME ACROBATE
6 MME MAGIE
7 MME PROPRETTE
8 MME INDÉCISE
9 MME PETITE

10 MME TOUT-VA-BIEN
11 MME TINTAMARRE
12 MME TIMIDE
13 MME BOUTE-EN-TRAIN
14 MME CANAILLE
15 MME BEAUTÉ
16 MME SAGE
17 MME DOUBLE
18 MME JE-SAIS-TOUT

19 MME CHANCE
20 MME PRUDENTE
21 MME BOULOT
22 MME GÉNIALE
23 MME OUI
24 MME POURQUOI
25 MME COQUETTE
26 MME CONTRAIRE
27 MME TÊTUE

28 MME EN RETARD
29 MME BAVARDE
30 MME FOLLETTE
31 MME BONHEUR
32 MME VEDETTE
33 MME VITE-FAIT
34 MME CASSE-PIEDS
35 MME DODUE
36 MME RISETTE

37 MME CHIPIE
38 MME FARCEUSE
39 MME MALCHANCE
40 MME TERREUR
41 MME PRINCESSE
42 MME CÂLIN
43 MME FABULEUSE
44 MME LUMINEUSE

DES **MONSIEUR MADAME**

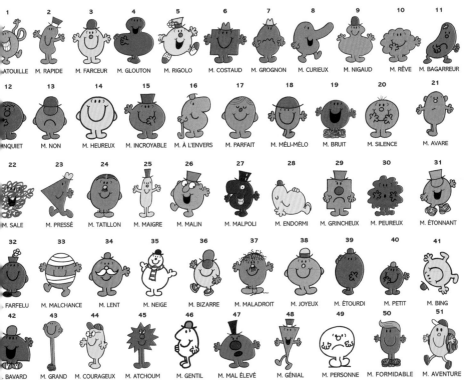

1	2	3	4	5	6	7	8	9	10	11
ATOUILLE	M. RAPIDE	M. FARCEUR	M. GLOUTON	M. RIGOLO	M. COSTAUD	M. GROGNON	M. CURIEUX	M. NIGAUD	M. RÊVE	M. BAGARREUR
12	13	14	15	16	17	18	19	20	21	
INQUIET	M. NON	M. HEUREUX	M. INCROYABLE	M. À L'ENVERS	M. PARFAIT	M. MÉLI-MÉLO	M. BRUIT	M. SILENCE	M. AVARE	
22	23	24	25	26	27	28	29	30	31	
M. SALE	M. PRESSÉ	M. TATILLON	M. MAIGRE	M. MALIN	M. MALPOLI	M. ENDORMI	M. GRINCHEUX	M. PEUREUX	M. ÉTONNANT	
32	33	34	35	36	37	38	39	40	41	
FARFELU	M. MALCHANCE	M. LENT	M. NEIGE	M. BIZARRE	M. MALADROIT	M. JOYEUX	M. ÉTOURDI	M. PETIT	M. BING	
42	43	44	45	46	47	48	49	50	51	
BAVARD	M. GRAND	M. COURAGEUX	M. ATCHOUM	M. GENTIL	M. MAL ÉLEVÉ	M. GÉNIAL	M. PERSONNE	M. FORMIDABLE	M. AVENTURE	

Retrouve tous tes héros sur
www.hachette-jeunesse.com

Édité par Hachette Livre, 58 rue Jean Bleuzen 92178 Vanves Cedex.
Dépôt légal : février 2018.
Loi n°49-956 du 16 juillet 1949 sur les publications destinées à la jeunesse.
Achevé d'imprimer par Canale en Roumanie.